Savais-tu?

Les Coquerelles

Savais-tu?

Les Coquerelles

Alain M. Bergeron
Michel Quintin
Sampar

Illustrations de Sampar

ÉDITIONS
MICHEL
QUINTIN

Catalogage avant publication de Bibliothèque et Archives nationales du Québec et Bibliothèque et Archives Canada

Bergeron, Alain M., 1957-

Les coquerelles

(Savais-tu? ; 21)
Pour enfants de 7 ans et plus.

ISBN 978-2-89435-263-2

1. Blattes - Ouvrages pour la jeunesse.   2. Blattes - Ouvrages illustrés - Ouvrages pour la jeunesse. I. Quintin, Michel . II. Sampar. III. Titre. IV. Collection : Bergeron, Alain M., 1957-   . Savais-tu? ; 21.

QL505.5.C66 2004   j595.7'28   C2004-940225-0

Révision linguistique : Rachel Fontaine

Le Conseil des Arts du Canada
The Canada Council for the Arts   SODEC Québec   Patrimoine canadien   Canadian Heritage

La publication de cet ouvrage a été réalisée grâce au soutien financier du Conseil des Arts du Canada et de la SODEC. De plus, les Éditions Michel Quintin bénéficient de l'aide financière du gouvernement du Canada par l'entremise du Programme d'aide au développement de l'industrie de l'édition (PADIÉ) pour leurs activités d'édition.

Gouvernement du Québec – Programme de crédit d'impôt pour l'édition de livres – Gestion SODEC

ISBN 978-2-89435-263-2
Dépôt légal - Bibliothèque et Archives nationales du Québec, 2004
Dépôt légal - Bibliothèque et Archives Canada, 2004

© Copyright 2004

Éditions Michel Quintin
C.P. 340, Waterloo (Québec)
Canada J0E 2N0
Tél.:   450 539-3774
Téléc.: 450 539-4905
www.editionsmichelquintin.ca

0 7 - M L - 2

Imprimé au Canada

Savais-tu que « coquerelle » est le nom familier de la blatte? Cet insecte, qu'on appelle aussi cafard ou cancrelat, a conquis la terre entière du pôle Nord au pôle Sud.

Savais-tu que la blatte a fait son apparition sur terre il y a 400 millions d'années? Au cours de l'évolution, certaines espèces auraient mesuré jusqu'à 60 centimètres de long.

Savais-tu que le plus gros spécimen de blatte connu vient d'une espèce vivant en Colombie? Ce sujet mesure près de 10 centimètres de long.

Savais-tu qu'il existe plus de 4 000 espèces de blattes?
Toutefois, à peine 5 d'entre elles se retrouvent dans nos
habitations.

Savais-tu qu'on ne trouve jamais deux espèces de blattes dans un même lieu? Chacune occupe un milieu bien précis, aussi l'espèce qui se retrouve dans nos cuisines

et nos salles de bains est différente de celle qui se retrouve dans nos sous-sols.

Savais-tu que les blattes domestiques mangent à peu près n'importe quoi? Si elles sont surtout attirées par notre nourriture et les déchets de cuisine, elles mangent aussi

de la colle, du papier, du savon, des poils, du tissu et bien d'autres choses encore.

Savais-tu que les blattes peuvent survivre plus de 3 mois sans manger? Par contre, elles ne vivront pas plus d'un mois sans boire.

Savais-tu que grâce à son corps aplati, elle peut facilement se dissimuler dans des endroits qui nous sont inaccessibles? Elle se cache, entre autres, derrière les meubles, dans les fissures des murs et des planchers.

Savais-tu que cet insecte grégaire vit en colonie rassemblant des milliers d'individus? Il n'y a ni hiérarchie ni spécialisation à l'intérieur de ces

groupes. Chaque individu vit de façon autonome,
sans être dépendant du groupe.

Savais-tu que la plupart des espèces de blattes ont des glandes abdominales qui sécrètent une substance à l'odeur répugnante? C'est d'ailleurs grâce à cette odeur que les individus se reconnaissent entre eux.

Savais-tu que le soir elles sortent en groupe à la recherche de nourriture? Le jour, elles se cachent, fuyant ainsi la lumière.

Savais-tu que leurs longues antennes les aident à se diriger dans l'obscurité? C'est aussi avec leurs antennes qu'elles entendent les bruits et détectent les odeurs.

Savais-tu que la blatte est très méfiante? Elle s'enfuit dès qu'elle perçoit quelque chose d'insolite.

Savais-tu qu'elle possède des poils « spécialisés » qui détectent les mouvements de l'air? Ainsi, elle réagit au moindre déplacement d'air en s'enfuyant dans la direction opposée.

Savais-tu que la blatte est parmi les insectes les plus rapides? Elle peut gravir un mur à une vitesse atteignant près de 5 kilomètres à l'heure.

Savais-tu que ses ailes lui servent davantage
à planer qu'à voler?

Savais-tu que certaines femelles peuvent sentir les
sécrétions odorantes émises par les mâles sexuellement
matures à une distance allant jusqu'à 500 mètres?

Savais-tu que chez la blatte germanique, les ébats amoureux peuvent durer jusqu'à 3 heures? Cette espèce est celle qu'on retrouve le plus souvent dans nos maisons.

Savais-tu que chez certaines espèces, il suffit d'un seul accouplement pour que la femelle, qui conserve le sperme en elle, soit fertile toute sa vie?

Savais-tu qu'une femelle pond de 30 à 40 œufs à la fois? Ces œufs sont regroupés à l'intérieur d'une capsule protectrice appelée oothèque.

Savais-tu qu'après la ponte, les œufs soigneusement emballés sont abandonnés? La femelle les laissera sous un tapis, derrière la tapisserie ou dans tout autre endroit où ils pourront se développer en toute sécurité.

Savais-tu que chez la blatte germanique par contre, la femelle transportera ses œufs pendant près d'un mois, c'est-à-dire jusqu'à ce qu'ils soient prêts à éclore?

Savais-tu que, contrairement à la majorité des insectes, certaines espèces n'abandonnent pas complètement leur progéniture? Les larves nouvellement écloses suivent leur mère dans sa quête de nourriture.

Savais-tu que parmi les blattes domestiques, certains individus peuvent vivre plus de 4 ans? Durant cette période une femelle peut pondre plus de 1 000 œufs.

Savais-tu que dans la nature, la blatte joue le rôle
important de décomposeur en se nourrissant de
végétaux et d'animaux morts?

Savais-tu que la mauvaise réputation de la blatte domestique vient du fait qu'elle laisse une mauvaise odeur et qu'elle souille la nourriture de ses excréments?

Savais-tu que seulement 1 % des espèces connues sont considérées comme nuisibles?

Savais-tu que les blattes représentent à elles seules
jusqu'à 60 % du chiffre d'affaires des entreprises
d'extermination? Chaque année, aux États-Unis,

on dépense plus de 1,5 milliard de dollars en insecticides pour lutter contre elles.

Savais-tu qu'une blatte décapitée ne meurt pas instantanément? Cela lui prendra plus d'une semaine.